ALADIN
ET SA LAMPE MAGIQUE

Katie Daynes

Illustrations de
Paddy Mounter

Texte français de France Gladu

Éditions
■SCHOLASTIC

Table des matières

Chapitre 1

Un oncle magique

Voici l'histoire d'un garçon paresseux
nommé Aladin. Son père dirigeait
seul le commerce familial; il en est
mort d'inquiétude. Sa mère est
désespérée.

Un jour qu'Aladin traîne comme à
son habitude, un homme s'approche.
— Aladin! s'écrie-t-il. C'est moi, ton
oncle Abanazar disparu depuis
longtemps, le frère de ton père!

J'ignorais que j'avais un oncle.

J'ai été absent bien longtemps.

Ce soir-là, l'oncle d'Aladin s'invite
à souper.

En apprenant qu'Aladin n'a pas de travail, il lui achète une boutique chic à diriger.

Aladin et sa mère sont ravis. Ils ne se doutent pas qu'Abanazar est en fait un méchant magicien.

Le lendemain,
Abanazar emmène
Aladin faire une
longue promenade
hors de la ville.

— Nous voici arrivés, dit enfin l'oncle.
Il allume un feu, jette de la poudre sur
les flammes et murmure d'étranges
paroles.

Une trappe en pierre apparaît alors sur l'herbe. Aladin est étonné. Son oncle fait de la magie!

— Il y a sous cette pierre bien des trésors, mais je n'en veux qu'un seul : la lampe. Prends cette bague...

elle te protégera, dit
Abanazar en poussant
Aladin dans l'escalier.
Aladin traverse quatre
salles remplies d'or
s'ouvrant sur un verger.
Les fruits luisent
comme du verre.

Il aperçoit la lampe, la saisit et la met
dans sa poche. Puis il cueille les beaux
fruits à pleines mains.

— Passe-moi la lampe! crie
Abanazar de l'entrée.
Mais Aladin a trop traîné.
Abanazar croit avoir
été berné.

Comment
oses-tu garder
cette lampe
pour toi!

Avant qu'Aladin ait pu répondre, un
bruit sourd retentit et c'est l'obscurité
totale.

Chapitre 2

Deux génies

Aladin est piégé. La cave est froide, noire et sinistre. Il se frotte les mains pour se réchauffer.

10

Soudain, un homm
se dresse devant lui
— Je suis le génie de la bague,
dit-il d'une voix
tonitruante. Que
puis-je faire
pour vous?

Ça alors!

— Me sortir d'ici! s'écrie Aladin.
En un éclair, il se retrouve dehors
sur l'herbe.

11

Il se précipite chez lui pour tout raconter à sa mère.
— Abanazar ne peut pas être mon oncle. Il fait de la magie et a essayé de me tuer!

— Toi et tes histoires, dit sa mère. Bon, que veux-tu pour souper? Je vais vendre cette vieille lampe et acheter à manger.

Elle se met à polir la lampe et bondit
de terreur lorsqu'un homme
immense en sort.

Je suis le
génie de la lampe.
Vos désirs sont des
ordres.

— Vous avez de quoi manger?
demande Aladin. Je meurs de faim.
L'instant d'après, un énorme festin
apparaît sur des plateaux d'argent.

Le vin et la nourriture durent une semaine. Ensuite, Aladin vend les plateaux d'argent.

Quelle belle vie pour Aladin et sa mère! S'ils ont besoin de nourriture, il leur suffit de frotter la lampe et le génie apparaît.

Un jour qu'Aladin est au marché à vendre des plateaux, il aperçoit des bijoux étincelants.

« On dirait les fruits de verre que j'ai cueillis dans la cave », songe-t-il avec stupéfaction.

Ce n'est donc pas du verre!

Il fonce chez lui et cache les bijoux qu'il avait cueillis.

15

Chapitre 3

La fille du sultan

Un matin, très tôt, le sultan lance un ordre.

— La princesse Badr-al-Budur ira aujourd'hui aux bains publics. Vous devrez tous rester chez vous.

Aladin se demande pourquoi faire tant d'histoires. Il se cache aux bains publics pour voir la princesse.

Jamais il n'a vu d'autre visage de femme que celui de sa mère. Lorsque la princesse relève son voile, Aladin croit s'évanouir. Elle est magnifique!

Il rentre en gambadant, ébloui et souriant bêtement.

— Mais que t'arrive-t-il? lui demande sa mère.

— Je suis amoureux de la fille du sultan, soupire-t-il.

Je dois l'épouser.

Sa mère éclate de rire, mais Aladin est sérieux.

— Si je n'épouse pas Badr, je mourrai, dit-il.

Il supplie sa mère d'aller voir le sultan
et de lui demander la main de sa fille.
— Fais-lui cadeau de ces bijoux,
ajoute-t-il.

— Le sultan n'acceptera jamais!
s'écrie sa mère.
Mais elle s'inquiète tant pour son fils
qu'elle finit par céder.

Le sultan vit dans un grand palais. Il ignore la mère d'Aladin lors de sa première visite. Mais comme elle revient sans cesse, il finit par lui adresser la parole.

Elle avoue au sultan l'amour de son
fils pour la princesse Badr.
— Nous ne sommes pas dignes de
votre grandeur, marmonne-t-elle.
Mais voici un petit cadeau.

Je n'ai jamais
vu d'aussi gros
bijoux!

— Hum… Oui, il faudrait un époux à
Badr… dit le sultan.
— Mais vous disiez que *mon* fils allait
l'épouser! s'écrie un homme maigre,
debout à ses côtés.

21

L'homme est un vizir, c'est-à-dire un ministre puissant. Il chuchote quelques mots à l'oreille du sultan, qui se tourne ensuite vers la mère d'Aladin.

— Votre fils pourra épouser ma fille dans trois mois, dit-il.

Chapitre 4

Le mauvais époux

Deux mois plus tard, la mère d'Aladin est en ville. Il n'est question que du mariage royal.

— La princesse épousera le fils du vizir aujourd'hui! crie un messager.

La mère d'Aladin court à la maison
annoncer la mauvaise nouvelle à son
fils. Il est bouleversé, puis soudain,
il pense au génie de la lampe.
Il demande au génie d'aller déranger
le jeune couple le soir même.

Laisse le fils
du vizir dehors
au froid et amène
la princesse
Badr ici.

À minuit, le génie conduit Badr chez Aladin et laisse le fils du vizir dans la rue sombre et humide.

Au secours!

Je ne te ferai aucun mal.

— Tu es en sécurité avec moi, dit doucement Aladin.

Avant l'aube, le génie ramène Badr et le fils du vizir à leur chambre.
— Qu'est-ce qui ne va pas? demandent les parents de Badr au déjeuner.

La princesse garde le silence. Ce soir-là, le fils du vizir prie le ciel de lui accorder une nuit paisible, mais à minuit, le génie revient…

Après une autre nuit glaciale dans la rue, le fils du vizir en a assez.

— Désolé, sultan, dit-il. Votre fille est merveilleuse, mais je ne peux supporter ces horribles cauchemars.

— Eh bien, c'est que le destin en a décidé autrement, répond le sultan. Et il annule le mariage.

Chapitre 5

Aladin se marie

Peu de temps après, la mère d'Aladin revient voir le sultan.

— Demandez à votre fils de m'envoyer d'autres bijoux. Je veux

quarante plateaux remplis de bijoux,
portés par quatre-vingts serviteurs
vêtus de soie. À cette seule condition,
Aladin pourra épouser Badr, conclut-il.

Le génie comble aisément ce désir.
Dans l'heure qui suit, une longue
procession est en route.

Le sultan n'en croit pas ses yeux.
— Dites à votre fils qu'il peut épouser
ma fille sur-le-champ! déclare-t-il à
la mère d'Aladin.

Mais Aladin veut d'abord une demeure pour Badr. Il décrit le palais idéal au génie qui le construit en une nuit.

Vêtu de ses plus beaux habits, Aladin
arrive à cheval au palais du sultan. La
noce commence par de la musique et
des danses et se termine par un festin
et des feux d'artifice.

Le soir venu, Badr se rend à sa
nouvelle demeure. Elle est enchantée.
Aladin est le plus bel homme qu'elle
ait jamais vu et leur palais, une pure
merveille.

Chapitre 6

Le retour d'Abanazar

Du fond du désert, Abanazar apprend
la destinée heureuse d'Aladin.

— Ce gredin s'est enfui avec la
lampe! rage-t-il.

Il revient à la ville pour retrouver
la lampe, et crie :
— Échangez une lampe usée
contre une neuve!

> Une lampe
> usée contre
> une neuve!

De son palais, Badr entend cette
offre.
« Voilà une bonne affaire », se dit-
elle. Elle trouve une lampe usée et la
remet à Abanazar.

35

Abanazar court vers un coin
tranquille et frotte la lampe.
— Que puis-je faire pour vous?
demande le génie.

— Transporte-moi au
milieu du désert
avec le palais et la
princesse, dit
Abanazar.

Plus tard ce matin-là, le sultan regarde par la fenêtre et reste pétrifié.
— Le pa-palais de ma fi-fille a di-disparu, bégaie-t-il.

Croyant qu'Aladin l'a trompé, il envoie des soldats l'arrêter.

Aladin rentre d'une partie de chasse. Il trouve un groupe de soldats, mais pas de palais. Il est aussi surpris que le sultan.

— Ne vous inquiétez pas, je retrouverai votre fille, promet-il.

Désespéré, Aladin joint les mains.
Le génie de la bague apparaît.
— Oh, je vous avais oublié!
dit Aladin. Aidez-moi,
je vous en prie.

— Je ne peux pas ramener Badr,
répond le génie. Mais je peux vous
mener jusqu'à elle.

Quelques secondes plus tard, Aladin se retrouve sous la fenêtre de Badr.

— Ne crains rien, lance Aladin. J'ai un plan. Accepte de partager son repas ce soir. Je me faufilerai dans le palais et te donnerai un poison à verser dans son vin.

Occupé à contempler Badr, Abanazar
ne la voit pas verser le poison. Une
seule gorgée suffit : il s'effondre, raide
mort.

Aladin fouille le palais
et retrouve sa lampe.
Un souhait plus
tard, Badr et lui
sont chez eux.

Chapitre 7

La vengeance du frère

Mais la partie n'est pas gagnée.
Abanazar a un méchant frère qui
réclame vengeance.

Le frère se déguise en Fatima, une sainte femme. Debout devant le palais d'Aladin, il prétend pouvoir guérir les gens. Très curieuse de voir Fatima, Badr l'invite à entrer.

— Quelle salle magnifique, dit la fausse Fatima. Mais si vous suspendez un œuf de roc au dôme, ce sera mieux encore.

Le roc est un oiseau gigantesque qui pond d'énormes œufs blancs. Badr aime la suggestion de Fatima et en parle à Aladin.

— Aucun problème, dit-il, et il appelle le génie de la lampe.

Je voudrais un œuf de roc.

QUOI?!

— Tout sauf ça! tonne le génie. Si vous me demandez une telle chose, je devrai vous tuer!

Et il poursuit :

— Mais je sais que l'idée n'est pas de vous. Fatima est le frère d'Abanazar déguisé. Il veut votre mort!

Aladin est sous le choc. Il doit agir vite.

Oh, j'ai si mal à la tête!

Il demande à Fatima de le guérir. Au moment où le méchant frère s'approche, Aladin saisit sa dague et le tue.

Aladin et Badr sont désormais en sécurité. Plus personne ne leur veut de mal.

Avec le temps, Aladin est devenu sultan et sa mère, grand-mère. Comme ils ont tout ce qu'ils désirent, ils ont rangé bague et lampe dans un tiroir. Qui sait? Les génies y dorment peut-être encore...

Dans cette collection

NIVEAU 3

Le
Casse-Noisette

Histoires
de fantômes

Aladin
et sa lampe
magique

Histoires
de princes et
de princesses

NIVEAU 4

Dracula

Le fantôme
du parc

Les aventures
extraordinaires
d'Hercule

L'incroyable
cadeau

Conception graphique de Russell Punter

Catalogage avant publication de Bibliothèque et Archives Canada
Daynes, Katie
Aladin et sa lampe magique / renarré par Katie Daynes ;
illustrations, Paddy Mounter ; texte français de France Gladu.
(Petit poisson deviendra grand)
Traduction de: Aladdin & his magical lamp.
Pour les 7 à 9 ans.
ISBN 978-0-545-98293-1

I. Mounter, Paddy II. Gladu, France, 1957- III. Titre.
IV. Collection: Petit poisson deviendra grand (Toronto, Ont.)
PZ24.D39Al 2010   j823'.92   C2009-904433-1